이제 일반인들도 쉽게 쓰는 자서전

자서전 쓰기 강사 민경호가 안내하는 저서전의 세계!!
심리 치유와 기억력 개선 두마리 토끼를 잡는다
내가 직접 쓰는 자서전, 내 책에 내 인생을 담는다!

내 자서전쓰기 실전BOOK

아동기 · 청소년기편

민 경 호 지음

세계로미디어

ISBN 978-89-90530-33-2(세트)   ISBN 978-89-90530-35-6(04810)

아동기편 / 청소년기편

| 연상법 질문지를 이용한 아동기 / 청소년기 실전편 |

아동기를 기억해내는 것은 쉬운 일이 아닙니다. 왜냐하면 그만큼 많은 시간이 흘렀으니까요. 하지만 걱정할 필요는 없습니다. 연상법 질문지가 있습니다. 이것을 통해 여러분은 과거로 타임머신을 타고 여행하는 듯한 생각에 빠져들 것입니다.

자서전은 반드시 자신의 이야기만 쓰는 책이 아닙니다. 자신을 둘러싼 모든 인물과 모든 사건을 총 망라하여 기술하고 묘사하는 책입니다. 우선, 가장 가까운 가족으로부터 시작해서 친지나 친구, 이웃에 대해서 설명하고 묘사하는 것도 자서전에서 빼놓을 수 없는 부분입니다. 그러니 기억해내기가 어렵다고 포기하지 마시고 타인들의 기억도 활용하는 방법을 써 보십시오. 예를 들어서, 어릴 적의 기억이 떠오르지 않는다면 어머니나 아버지, 혹은 친척이나 친구들의 도움을 얻어 기억을 살려내는 방법도 있겠고, 앞에서 설명했듯이 예전에 살았던 집이나 학교, 동네를 찾아가서 오래된 추억을 떠올려 보십시오. 이 기회에 색다르고 훌륭한 여행을 하실 수도 있을 겁니다. 현재 사는 곳과 많이 떨어져 있다면 이것을 계기로 '나만의 자서전 여행'을 떠나보는 것은 어떠실는지…….

연상법 질문지에 답변을 달 때에 반드시 알아야 할 것은 나에게 해당되지 않는 질문도 있다는 것입니다. 그런 질문은 피해가시든가, 아니면 질문을 본인의 사정과 여건에 맞게 고쳐서 써 보십시오. 변형된 질문으로 자신만의 스토리를 엮어나가실 수 있습니다.

여러분의 청소년기는 어떠했나요? 반항기였나요? 질풍노도의 시기였나요? 아니면 모범생이었나요? 성격은 어땠지요? 활동적이었나요? 수줍어했나요?

한번 되돌아보십시오. 무엇이 생각 나나요? 가정과 사회에 감사했나요?

유명인 자서전을 읽어보셨나요? 가급적이면 남이 쓴 자서전을 많이 읽어보는 것이 좋습니다. 그럼으로써 요령을 터득하고, 또 자신의 자서전을 쓸 때도 많은 참고가 되는 것입니다. 그러면 우리가 존경해 마지않는 유명인들의 자서전에는 어떤 내용들이 있을까요? 그들에게도 물론 숨기고 싶은 과거가 있고 뼈저린 실패와 마음의 상처도 남아있습니다. 우리는 모두 동일한 인간이니까요. 그러나 그들의 자서전을 읽어보면 한결같이 진솔하고 담담하게 자신에 대해 서술하고 있다는 것입니다. 인간이기에 실수도 저지를 수 있고, 후회할 수도 있고, 또한 잘못한 것을 바로잡을 수도 있는 것입니다. 여러분 그대로를 보여주십시오. 꾸밈 없이.

혹시, 과거의 기억이 떠오르지 않아 고민하십니까? 억지로 기억하려고 하지 말고 시간의 흐름에 생각을 맡기고서, 긴장을 풀고 눈을 감고 천천히 천천히 과거로 돌아가 보십시오. 하고 싶은 말들이 마음 깊은 곳으로부터 소리지르는 것을 발견하실 겁니다.

준비 되셨죠? 이제부터 시간 여행을 떠나봅시다…….

여러분의 아동기와 청소년기에는 어떤 일들이 있었는지 생각하며 사건들의 목록을 작성해 봅니다. 이 목록에만 집착하지 마시고 다음에 나오는 연상법 질문들을 보시면서 목록도 하나 하나 채워나가시기 바랍니다. 가급적이면 사건명을 쓰고 그에 대한 간략한 설명을 옆에 달아보는 것이 좋을 것입니다.

1

2

3

4

5

6

7

8

9

10

| 환경 | 어린 시절에 살았던 집을 그려보라. 집 주변의 특징을 써보자.
농촌? 어촌? 도시?

| 환경 | 어린 시절 가장 좋아했던 장소는? 마음을 편안하게 해 준 장소는?

| 환경 | 어린 시절 대부분을 어디에서 지냈나? 주로 놀던 곳은?

| 환경 | 이사 다닌 집은 몇 군데이고, 각각을 설명해보라.
사는 지역이 어떠했나?

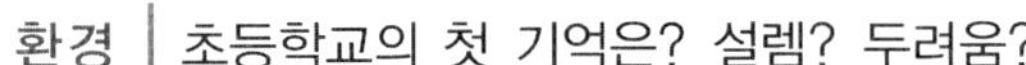

| 환경 | 초등학교의 첫 기억은? 설렘? 두려움?

| 가족 | 부모님과 가장 행복했던 기억은? 함께 놀아주셨던 기억은?
| 가족 | 부모님과 함께 했던 행사(입학, 졸업, 운동회, 학예회, 소풍)와 기쁨은?

| 가족 | 부모님에 대한 나의 투정이나 불만은?
| 가족 | 부모님이 가장 밉고 원망스러웠던 때는?

 | 가족 | 부모님이 꾸지람하셨던 기억은? 매를 맞았나? 이유는?
| 가족 | 부모님이 나의 어린 시절에 자주 들려주시던 말씀은? 잔소리는?

| 가족 | 부모님이 칭찬하셨던 기억은? 그 칭찬으로 내게 변화가 생겼나?

| 건강 | 어릴 때 앓았던 병 가운데 기억나는 것은? (감기, 홍역, 입원, 수술?)

| 관계 | 어린 시절 가장 친했던 친구는? 그 친구와 관련된 에피소드는?

| 관계 | 누구와 함께 있었던 시간이 가장 많았고, 내게 어떤 영향을 주었나?

 |관계| 어린 시절 부모님의 마음을 가장 아프게 했던 사건은?
|관계| 잊지 못할 부모님의 선물은? 선물을 받고 난 후의 감정과 행동은?

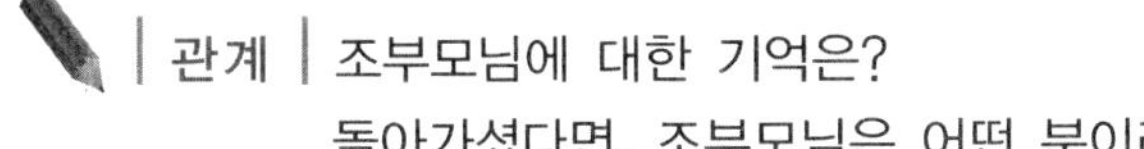

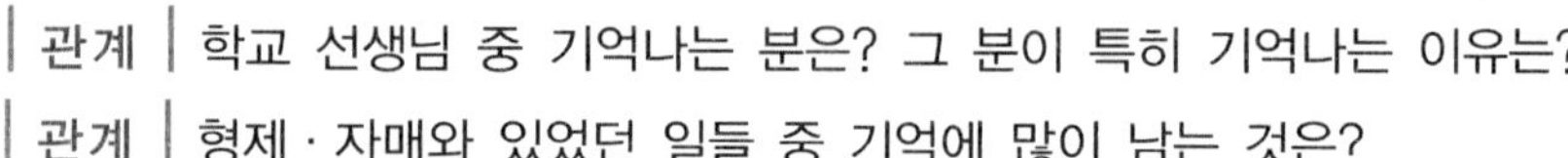

관계 | 학교 선생님 중 기억나는 분은? 그 분이 특히 기억나는 이유는?
관계 | 형제 · 자매와 있었던 일들 중 기억에 많이 남는 것은?

| 생활 | 거짓말을 해서 혼난 적이 있나? 거짓말을 한 이유와 내용은?

| 생활 | 아이들과 장난치던 일 중 기억나는 것은? 장난치다가 다친 적은?

| 생활 | 어린 시절 가장 좋아했던 동·식물은? 집에서 키운 동·식물이 있었나?
| 생활 | 어린 시절 가장 좋아했던 물건은? 갖기 위해서 했던 행동은?

 | 생활 | 어린 시절 가장 좋아했던 음식은? 싫어했던 음식은?
| 생활 | 어린 시절 철없이 행동했던 기억은?

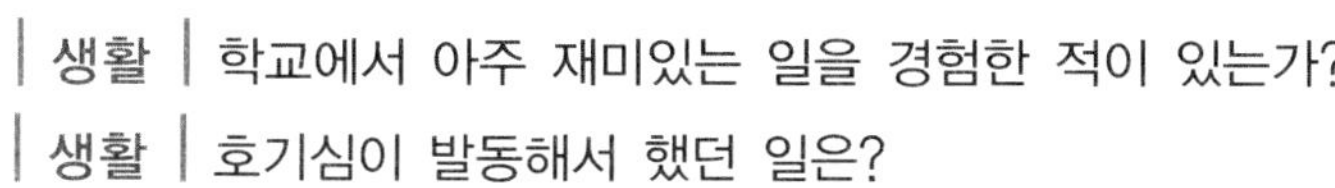

| 생활 | 학교에서 아주 재미있는 일을 경험한 적이 있는가?
| 생활 | 호기심이 발동해서 했던 일은?

| 성취 | 지금 생각해 봐도 자랑스러웠던 일은? 칭찬해준 사람은?
| 성취 | 학교에서 가장 잘 했던 공부는? 못했던 과목은? 이유는?

| 의지 | 나만의 고집이나 끈기, 근성이 있었나?
| 의지 | 어른이 빨리 되고 싶은 적은 없는가? 왜 그렇게 생각했나?

| 영향 | 어린 시절 눈으로 목격한 일 중에 기억에 남는 것은?
| 영향 | 강한 인상을 받았던 사진, 또는 그림, 영화나 텔레비전 프로그램은?

| 정신건강 | 두려움을 느꼈나? 어떤 두려움이었나? 고민이 있었나?
| 정신건강 | 스스로에게 자신감을 얻은 때는? 행복하다고 생각했던 때는?

| 정신건강 | 열등감이 있었나? 열등감을 극복하기 위해 어떤 노력을 했나?

| 정신건강 | 자신을 특별하다고 생각했나? 어떤 점에서 특별한가?

| 친구 | 청소년기에 어울렸던 친구들은 어떤 특징이 있었나?

| 친구 | 가장 친했던 친구는? 그 친구와의 추억 중 가장 기억에 남는 것은?

 | 감성 | 10대 시절, 세상이나 인생이 아름답다고 생각한 적은?

| 감성 | 사춘기때 있었던 이성간의 추억은? 누구를 좋아했나?
이성에게 감정을 표현했나?

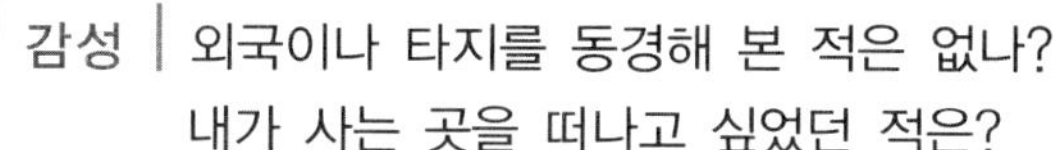 **| 감성 |** 외국이나 타지를 동경해 본 적은 없나?
내가 사는 곳을 떠나고 싶었던 적은?

 | 감성 | 세상과 나에 대해 깊이 성찰해 본 적은?

| 감성 | 정신적인 충격을 받은 사건이 있었나? 심적인 변화는?

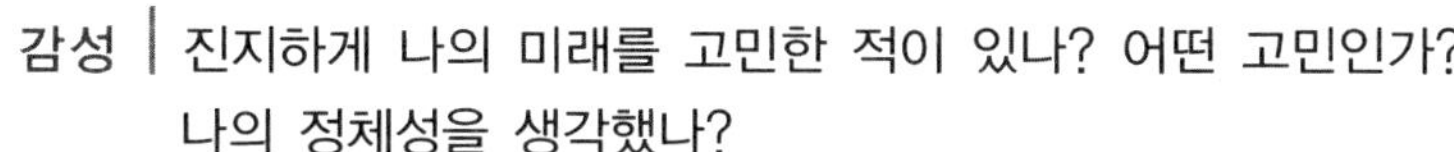

| 감성 | 진지하게 나의 미래를 고민한 적이 있나? 어떤 고민인가?
나의 정체성을 생각했나?

| 감성 | 청소년기에 감명 깊게 읽은 책은? 나에게 어떤 영향을 주었나?

| 감성 | 청소년기에 열등감은 무엇이었나? 자신의 외모에 불만이 있었나?

| 학창시절 | 가장 성적이 좋았던 때는 언제이고 가장 잘한 과목은?

| 학창시절 | 가장 싫어했던 과목이나 선생님은? 왜 싫었나?

| 학창시절 | 당시 나의 꿈은 어떤 사람이 되는 것이었나? 노력했나?

| 학창시절 | 중·고등학교는 어느 곳을 다녔고 통학은 어떻게 했나?

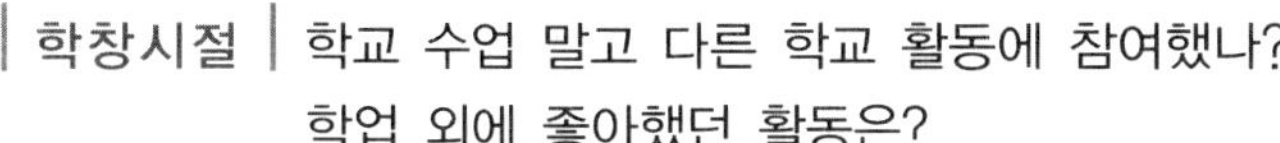

| 학창시절 | 학교 수업 말고 다른 학교 활동에 참여했나?
학업 외에 좋아했던 활동은?

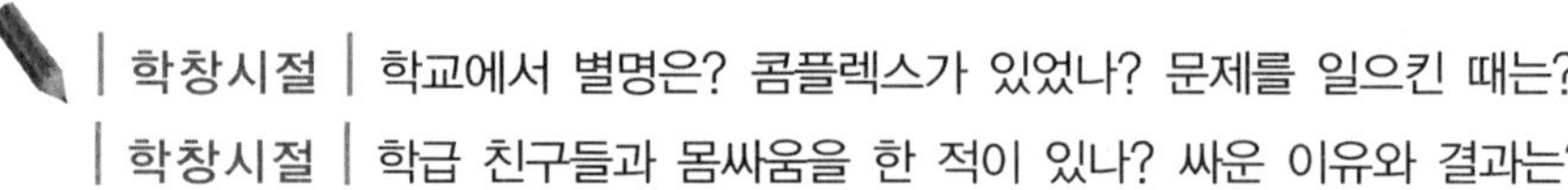

| 학창시절 | 학업성적은 어느 정도였나?
| 학창시절 | 스스로 어떤 재능이 있다고 생각했나? 재능을 살렸나?

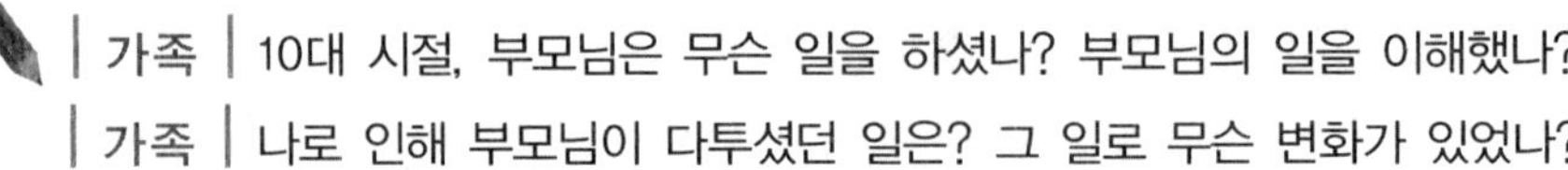

| 가족 | 10대 시절, 부모님은 무슨 일을 하셨나? 부모님의 일을 이해했나?

| 가족 | 나로 인해 부모님이 다투셨던 일은? 그 일로 무슨 변화가 있었나?

| 가족 | 청소년기때 부모님과 가장 행복했던 기억은?
가장 괴롭거나 슬펐던 기억은?

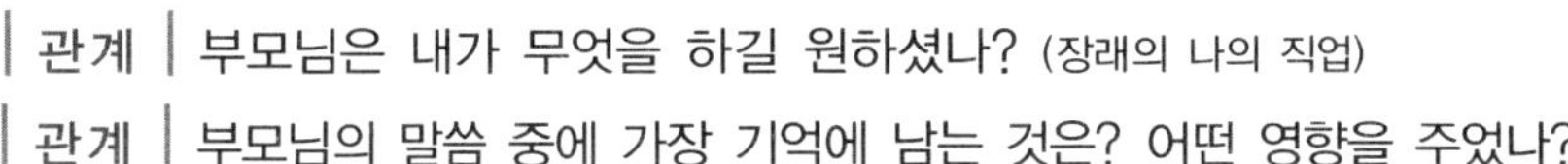

| 관계 | 부모님은 내가 무엇을 하길 원하셨나? (장래의 나의 직업)
| 관계 | 부모님의 말씀 중에 가장 기억에 남는 것은? 어떤 영향을 주었나?

| 생활 | 청소년기에 운동이나 음악을 좋아했나? 체력은 어느 정도였나?

| 생활 | 재미 삼아 즐겨 했던 것은? 다룰 수 있는 악기는?

| 생활 | 청소년기에 가출한 적이 있나?/ 없다면 가출 충동을 느낀 때는?
| 생활 | 청소년기에 성에 대해 어떻게 생각했나? 성교육을 받았나?

|성향| 내 성격은 어떤 편이었나?
외향적? 내성적? 다혈질? 온순? 성급함? 느긋함?

 | 성향 | 사람들 앞에 나서기를 좋아했나? 그 반대인가?
나서서 어떤 활동을 했나?

✎ | 영향 | 나에게 진지하게 충고를 해 준 사람이 있나?
이로써 인생의 큰 방향을 잡았나?

| 영향 | 청소년기에 가장 믿었거나 존경했던 사람은?

| 영향 | 나에게 아버지는 어떤 사람인가? 나에게 어머니는 어떤 사람인가?

| 영향 | 학창시절의 잊지 못할 은사님은?

| 의지 | 대학 진학을 위해 공부했나? 취업했나? 아니면 무엇을 했나?

 | 의지 | 불가능해 보인 일을 해낸 적이 있나?

| 의지 | 열광적으로 몰두했던 일이나 사건은?

 | 질문에 없는 본인만의 질문을 적고 답을 달아봅니다 |

아동기·청소년기 미니 자서전_(p58~63)

여기에서는 질문에 답했던 내용(글감)을 가지고 3장(6페이지)에 걸쳐 실제로 미니 자서전을 써 봅니다. 여기에 쓰는 글은 습작에 해당한다고 볼 수도 있겠구요, 실제로 한 권의 책을 써내기 위한 워밍업 정도라고 생각하시면 됩니다. 마음의 부담감을 털어버리고 수필을 쓰듯이 펜이 가는대로 술술 이야기를 풀어나가시기 바랍니다.

아동기·청소년기 미니 자서전(p58~63)

아동기·청소년기 미니 자서전(p58~63)

자서전에 대한 상담과 교육을 해드립니다

이 책을 활용하시면서 궁금하신 점이 있으시면 연락 주세요. 자서전 쓰기 교육 및 상담, 자서전 집필 및 자서전 제작에 대한 안내를 해드립니다. 고객님께서 이 책에 작성하신 것을 저희 사무실에 보내주시면 필요한 상담을 해드립니다. 보내실 때, 원본은 본인이 보관하시고 복사본을 저희에게 보내주십시오. 또한, 필요하신 분에게는 대필에 대한 상담도 해드립니다.

이 책은 실제로 자서전 쓰기 강의를 들으시는 분들께서 사용하시는 교재입니다. 강의는 저자인 제가 직접 합니다. 자서전 쓰기 강의를 수강하고 싶으신 분은 전화로 연락 주십시오. 이 책을 단체 구매시 출장 강의해드립니다. TEL (02)763-2159

민경호의 행복한 내 자서전 쓰기 블로그 http://blog.naver.com/mmbn